D1626746

Imprimé en France par I.M.E. - 25110 Baume-les-Dames
Dépôt légal n° 4831 - Avril 1999
22-47-3391-03/4 - ISBN : 2.01.223391.0
Loi n° 49-956 du 16 juillet 1949
sur les publications destinées à la jeunesse

Enid Blyton

Oui-Oui

Illustrations de Jeanne Bazin

Les 7 câlins de la semaine

HACHETTE
Jeunesse

Lundi

Oui-Oui
et son grelot

Dès que Oui-Oui arriva ce jour-là chez son ami Potiron pour le goûter, le nain trouva que le pantin n'était pas comme d'habitude.

« Je t'assure qu'il te manque quelque chose ! répétait Potiron.

« Ça y est ! Je sais ! J'ai trouvé ! s'écria brusquement Potiron, le doigt pointé vers le bonnet de Oui-Oui. C'est ton grelot. Tu ne l'as plus ! »

Stupéfait, Oui-Oui enleva le bonnet de sa tête et constata par lui-même que Potiron disait vrai.

« Je ne comprends pas, se lamenta le petit pantin de bois. J'ai dû le perdre en venant chez toi. Comment le retrouver ? »

Potiron promit de tout faire pour l'aider.

En longeant une haie dans le taxi de Oui-Oui, Potiron
et le pantin entendirent soudain un Dring ! Dring ! tout pareil
au Dring ! Dring ! d'un grelot.

   « Arrêtez ! Vous portez le grelot de Oui-Oui ! s'écria Potiron en
sautant du taxi.

— Un grelot ! Quel grelot ? répondit Mlle Chatounette.
Vous voulez parler de cette clochette ? »

Et le nain, tout confus, dut s'excuser.

« Dring ! Dring ! »

« Ecoute ! dit Oui-Oui à Potiron, en passant ensuite près du jardin de Léonie Laquille. Casimir Quillon a sûrement trouvé mon grelot sur la route. Il faut que je le récupère coûte que coûte… »

Quelle erreur ! Ce n'étaient encore que des clochettes accrochées aux ficelles avec lesquelles les petits quillons jouaient à cheval. Pauvre Oui-Oui ! Pourquoi les choses allaient-elles si mal ?

Hélas, les ennuis n'étaient pas finis !

« Maman ! Oui-Oui dit que nous avons volé son grelot ! » crièrent les petites quilles.

Rouge de colère, un balai à la main, Léonie Laquille bondit alors hors de la cuisine.

« Traiter mes enfants de voleurs !
Vous n'avez pas honte ? »

Oui-Oui eut beau répéter qu'il était désolé,
les deux amis jugèrent plus prudent de filer…

Un peu plus loin encore, ce fut Sourdinet, le marchand
de casseroles, qui attira leur attention.

« Dring ! Dring ! Dring ! »

« Cette fois, je reconnais vraiment le bruit de mon grelot ! » affirma Oui-Oui.

Mais lorsqu'ils furent plus près, Potiron lui fit remarquer que l'âne de Sourdinet avait les pattes pleines de clochettes. Désespéré, Oui-Oui se mit alors à pleurer.

« Tu me mouilles les pieds avec tes larmes. Prends ton mouchoir, au moins ! » lui demanda Potiron.

Oui-Oui tira alors son mouchoir de sa poche.

Quelle surprise ! Le grelot de Oui-Oui roula sur ses genoux.

« Je me souviens, maintenant ! avoua le pantin. Il s'est détaché de mon bonnet et je l'ai mis dans mon mouchoir pour ne pas l'égarer ! »

Tout ce temps perdu pour rien ! Potiron était si fâché qu'il demanda à Oui-Oui de le laisser rentrer chez lui à pied.

Mais à peine s'était-il avancé sur le chemin qu'il commença à rire, à rire si fort que Oui-Oui crut qu'il était souffrant.

« Ha ! Ha ! Ha ! Quand je pense que le grelot était dans ta poche, je ne peux pas m'empêcher de rire ! » hurla le nain.

Ouf ! Tout allait bien !

Bonne nuit

Mardi

Oui-Oui
et le vilain petit Fagotin

Ce matin-là, à l'entrée de Miniville, Oui-Oui fut arrêté par un curieux personnage fort bien vêtu.

« Je suis M. Fagotin, marchand ambulant, dit le singe. J'ai cassé mon vélo.
Veux-tu m'accompagner
de ville en ville ?
Je te paierai très cher !

— Quelle bonne idée ! s'écria Oui-Oui. Moi qui voulais justement voyager… Vous tombez bien ! »

Et hop ! Les voilà partis à travers le Pays des Jouets. Bonne route, Oui-Oui !

A Dadaville, ils s'arrêtèrent.

« Voulez-vous une belle queue neuve ? » demanda M. Fagotin aux chevaux à bascule.

Mais les chevaux n'avaient aucun besoin d'une queue nouvelle.

« Tant pis, dit M. Fagotin. Passons la nuit ici, nous verrons bien demain… »

Le lendemain matin, tous les chevaux voulurent acheter
une queue car la leur s'était envolée.

« Heureusement que nous passions par là ! » dit M. Fagotin
à Oui-Oui. Et il fit de si bonnes affaires qu'il fut franchement ravi.

A Circusville, M. Fagotin proposa ses clés aux clowns mécaniques.

« Nous n'avons pas besoin de clés, dirent les clowns. D'ailleurs, nous ne perdons jamais rien !

— Tant pis, dit M. Fagotin à Oui-Oui. Nous dormirons ici, nous verrons bien demain… » Et le lendemain, comme par magie, tous les clowns avaient besoin d'une clé car la leur s'était envolée !

« Comme c'est bizarre ! » pensa Oui-Oui.

De son côté, M. Fagotin était très fier de ses bonnes affaires.

A Toutouville où ils allèrent ensuite, Oui-Oui eut une fâcheuse surprise . Un petit chien avait perdu ses moustaches et le brave pantin ouvrit le sac de M. Fagotin pour lui en trouver des neuves.

Quelle horreur ! Il tomba sur toutes les queues des chevaux à bascule et sur les clés des pauvres clowns…

« Oh, je comprends tout ! s'écria Oui-Oui. C'est M.Fagotin qui a coupé les queues durant la nuit et volé toutes les clés durant nuit ! »

« Vous n'êtes qu'un voleur et un bandit ! » hurla Oui-Oui en frappant M. Fagotin fort surpris.

Le brave pantin était dans une telle colère que M. Fagotin ne put rien faire contre lui.

« Je vais vous ramener à Miniville, lança Oui-Oui. Et je vous conduirai tout droit chez le gendarme. »

Le pantin fit comme il avait dit : il attacha le bandit et le hissa dans son taxi.

Le gendarme recherchait justement le vilain M. Fagotin
et Potiron s'était fait bien du souci après le départ de Oui-Oui.
Tous les deux furent donc très contents de voir revenir le pantin.

« Bravo, Oui-Oui ! félicita le gendarme.
Ce voleur méritait une belle leçon.
Je vais le jeter en prison !

— Tu as fait du beau travail,
approuva Potiron.
Félicitations ! »

Pour la capture de M. Fagotin, Oui-Oui reçut une superbe récompense : un porte-monnaie rempli de sous. Et devinez ce qu'il dit ? « Avec, je vais pouvoir partir en vacances ! »

Ce qui fut dit fut fait, et sur-le-champ !

« Au revoir, monsieur le gendarme », s'écria Oui-Oui au volant de son taxi. Et hop ! Il démarra à toute allure. Avec Potiron, bien sûr !

Bonne nuit

Mercredi

Oui-Oui
au secours de M. Culboto

Ce jour-là, M. Culbuto avait promis de rendre visite à son ami, M. Haut-de-Forme, qui venait de déménager. Comme M. Haut-de-Forme avait été malade, M. Culbuto lui apportait des œufs pour le remettre en forme.

« Ne vais-je pas rester coincé entre ces deux maisons ? s'inquiéta M. Culbuto auprès de son ami.

— Pas de danger, répondit M. Haut-de-Forme. Il n'y a que Jumbo, l'éléphant, qui ne peut pas passer par là !»

Hélas !, ce qui devait arriver arriva. M. Culbuto fut bel et bien coincé et ne put plus bouger ! C'est alors qu'Isidore Macaque voulut passer.

Comme il était pressé, il escalada le dos de M. Culbuto avec son vélo.

« Quel mal élevé ! » s'indigna M. Culbuto.

Mais plus il s'efforçait de se dégager, moins il pouvait bouger.

M. Haut-de-Forme descendit de chez lui, puis arrivèrent Mlle Chatounette, Mirou et même M. Polichinelle. Pauvre M. Polichinelle ! En secouant M. Culbuto comme un prunier, il ramassa la panier d'œufs sur le nez…

« Je suis navré pour votre habit ! » s'excusa M. Culbuto, très ennuyé.

Oui-Oui passait par là. Il fut appelé en renfort. Du coffre de son auto, il sortit une corde.

« Pauvre Monsieur Culbuto ! Je vais vous attacher et l'on va vous tirer ! » dit Oui-Oui.

Mais lorsqu'ils se mirent tous à tirer, cela ne changea rien : M. Culbuto ne voulut pas bouger.

« Qu'allons-nous faire ? » se demandèrent Oui-Oui et ses amis.

C'est alors que Oui-Oui eut cette idée :

« Je vais attacher la corde à mon taxi, dit-il à M. Culbuto. Il n'aura aucune peine à vous sortir de là ! »

Sans perdre plus de temps, le brave pantin s'exécuta.

« Attention ! Attention ! cria Oui-Oui. Pour réussir, je dois rouler très vite… »

Et, vroum ! il démarra.

Bravo ! Grâce à la force de son auto, Oui-Oui dégagea le pauvre M. Culbuto.

« Ne t'arrête pas, Oui-Oui ! demanda M. Culbuto. Mon aventure m'a donné le tournis. Si tu me fais bondir un peu, tout ira mieux ! »

Hélas ! en culbutant, M. Culbuto culbulta jusque dans le ventre du gendarme. Le gendarme rouspéta, mais Oui-Oui ne s'arrêta pas.

Oui-Oui raccompagna M. Culbuto chez lui.

« Je ris encore en pensant au gendarme que j'ai fait tomber ! » s'écria M. Culbuto, ravi.

Oui-Oui riait lui aussi de bon cœur, mais en voyant le gendarme arriver, il préféra filer !

Quand le gendarme entra chez M. Culbuto, Oui-Oui était déjà parti.

« Quelle journée ! fit le pantin.
J'ai bien cru que M. Culbuto
devrait passer toute sa vie
entre ses deux maisons ! »

Tout heureux qu'il n'en soit rien, Oui-Oui fonçait vers la maison-champignon pour raconter toute cette histoire à son ami Potiron.

Bonne nuit

Jeudi

Oui-Oui
et le mystérieux voleur

Pauvre Oui-Oui ! Il était à peine debout, ce matin-là, qu'il reçut la visite du gendarme.

« Où étais-tu la nuit dernière ? lui demanda celui-ci.

— La nuit dernière ? Quelle drôle d'idée ! Mais je dormais, pardi », fit Oui-Oui.

Le gendarme raconta que Mlle Chatounette et M. Culbuto avaient été cambriolés et qu'on leur avait dérobé des gâteaux.

« Ils pensent que c'est toi parce qu'ils ont entendu tinter ton grelot ! poursuivit le gendarme.

— Vous voyez bien qu'il n'y a aucun gâteau dans mon garde-manger ! » s'écria Oui-Oui, indigné.

« Ils pensent que je suis un voleur ! » songea le pauvre Oui-Oui, prêt à pleurer.

Oui-Oui voulut se consoler auprès de son ami Potiron,
mais Potiron était parti rendre visite à son frère malade.
Désespéré, Oui-Oui retourna chez lui et pleura à chaudes larmes.

« Il ne faut pas pleurer ainsi ! lui dit la gentille Mirou
qui passait par là.

— J'ai donc encore une amie ! »
s'écria Oui-Oui. Et il lui raconta
en détail tout ce qui lui était arrivé.

« Je vais t'aider ! »
promit Mirou.

Pour se changer les idées, Oui-Oui alla faire un tour
à Miniville.

« Bonjour, Monsieur Gros-Ours, dit le pantin. Vous êtes bien
chargé. Voulez-vous que je vous aide ? »

Mais M. Gros-Ours poursuivit son chemin sans répondre et
tout le monde en fit autant : personne ne répondit aux bonjours
de Oui-Oui…

Comme le voleur avait le même grelot que Oui-Oui, Mirou et Oui-Oui allèrent tout droit voir le marchand de grelots.

« Quelqu'un vous a-t-il acheté un grelot comme le mien ? »
lui demanda Oui-Oui.

Le marchand voulait bien répondre à condition que le pantin
arrête d'agiter toutes les cloches.

« La souris mécanique m'en a acheté un il y a deux jours…
se rappela le marchand. J'ai même pensé : une souris si craintive
qui achète une chose qui fait tant de bruit, ça cloche ! »

Guetter le voleur. Oui-Oui et Mirou décidèrent d'attendre la nuit pour agir. En passant devant chez Mlle Guenon, ils entendirent du bruit. Oui-Oui se précipita à l'intérieur. Bing ! Bang!
Mirou avait si peur pour son ami qu'elle appela au secours.

Deux inconnus qui arrivaient à bicyclette s'arrêtèrent
et pénétrèrent dans la maison à leur tour.

Pauvre Mirou ! Elle ne savait vraiment plus où donner de la
tête…

Enfin, les inconnus sortirent en tenant le vilain Fred.
Ça alors ! C'étaient Potiron et son frère Topinambour.

« Oh, mon cher Potiron ! Comme je suis heureux
de te revoir ! » s'écria Oui-Oui… Et le petit pantin s'empressa de
raconter au nain toute sa mésaventure.

« Fred, tu n'es qu'un vilain ! Se faire passer pour Oui-Oui,
ce n'est pas bien ! » dit Potiron.
Quant à Mirou,
le nain s'empressa
de lui faire
un bisou !

Pour se faire pardonner d'avoir pris Oui-Oui pour un voleur, tous les habitants de Miniville accoururent et le couvrirent de cadeaux. Mirou ne fut pas oubliée.

« Finalement, c'est une très belle journée ! » reconnut Oui-Oui… La brave oursonne était bien de cet avis !

Bonne nuit

Vendredi

Oui-Oui

et les bijoux perdus

Quelle belle journée ! Il fait un beau soleil à Miniville et les abeilles butinent gaiement.

« Bonjour, Potiron, lance Oui-Oui

– Bonjour, Oui-Oui ! répond Potiron. Tu as l'air contrarié, quelque chose ne va pas ? »

Oui-Oui est embêté, Potiron a raison.

« Je dois aller chercher un paquet chez la poupée blonde, explique le brave pantin. Mais j'ai tant de travail que je ne sais pas comment faire.

— Ça tombe bien, le rassure Potiron. Je suis libre comme l'air. J'irai voir la poupée à ta place... »

La poupée blonde remet son paquet à Potiron.

« C'est à porter à M. Guignol, dit la poupée. Prenez garde
à ne pas l'égarer ! »

Et Potiron se met en route sans tarder. Dring ! Dring!

« Sur les chemins, comme on est bien ! » se dit le nain,
le cœur joyeux et tout heureux d'accomplir sa mission.
Mais le chemin n'est que trous et bosses...

Catastrophe ! Dans le bois des Lutins, le paquet est tombé !

Pauvre Potiron !

« Ce paquet était plein de bijoux ! » lui apprend M. Guignol.

Bien embêté, le nain repart aussi vite qu'il est venu. Mais il a beau chercher, le paquet a bel et bien disparu. Hélas ! c'est Finaud le lutin qui est tombé dessus.

« Je ferais mieux de cacher ces joyaux, se dit Finaud, ravi.
Ils sont si beaux qu'on pourrait bien me les voler ! »

Et, hop ! Presque en haut d'un vieux chêne, dans un trou bien
profond, il met son trésor à l'abri.

Potiron a tout raconté à Oui-Oui. Le brave pantin
est très embêté pour son ami. Après tout, c'est un peu
à cause de lui si le nain a ces ennuis.
Pour le distraire et le consoler,
Oui-Oui décide de lui faire
un cadeau : un cerf-volant
rouge coquelicot.

Potiron est ravi.

« Attention, Oui-Oui ! s'écrie soudain le nain. Il y a tant de vent : ce cerf-volant pourrait bien t'emporter ! » Mais Oui-Oui est un rien têtu, c'est bien connu...
Et puis, le vent, c'est tellement amusant, que le petit pantin n'a pas du tout envie d'être prudent !

Il a bien tort, assurément, car le vent souffle si fort que Oui-Oui s'envole bientôt aussi vite qu'une alouette.

« Reviens, Oui-Oui ! Lâche la corde, lâche-la ! » crie Potiron qui ne voit plus qu'une solution : suivre Oui-Oui à bicyclette.

Oui-Oui s'est bien amusé à voler comme un oiseau. Hélas ! une fois la nuit tombée, le brave pantin est bien penaud. Le vent s'est arrêté et le voilà qui grelotte tout en haut d'un vieux chêne.

« Je ne veux pas que tu sanglotes ! » Lui dit soudain une petite voix. C'est un gentil écureuil venu le consoler.

« Viens dormir chez moi, propose l'animal à Oui-Oui. J'habite un peu plus bas… »

Rassuré, Oui-Oui n'hésite pas à deux fois. Il sèche ses larmes et il y va !

Blottis l'un contre l'autre, Oui-Oui et l'écureuil ne tardent pas à s'endormir. L'écureuil habite un trou douillet dans le tronc du vieux chêne.

« As-tu bien dormi ? demande au matin l'écureuil à Oui-Oui.

– Pas très bien, répond Oui-Oui. Quelque chose m'a gêné… »

Et c'est alors que le pantin, fort surpris, découvre dans son dos le paquet de la poupée blonde !

En l'ouvrant, Oui-Oui aperçoit tous les beaux bijoux.

« Saperlipopette ! » s'écrie-t-il.

C'est alors que Potiron arrive à bicyclette.

En voyant ses bijoux, Potiron saute au cou de Oui-Oui.

Leur retour à Miniville crée une vive impression : on dirait deux princes des Mille et une Nuits !

Bonne nuit

Samedi

Oui-Oui
et le miroir magique

Quelle belle journée ! Au volant de sa chère auto, Oui-Oui est très content : il vient d'embarquer un nouveau client pour un très long voyage.

« Conduis-moi dans le royaume du roi Ho-Ho, a demandé Marco le Magicien.

— Très bien ! » a répondu Oui-Oui en préparant ses bagages.

Et les voilà partis !

Trois jours et trois nuits de voyage… Avec un magicien, point de soucis pour le couchage !

Le premier soir, ils ont dormi dans deux beaux hamacs et Oui-Oui s'est assoupi les yeux au ciel. Quelle merveille !

« Pour te présenter au roi, il te faut une tenue de choix ! »
a dit Marco.

Et, hop ! D'un coup de baguette magique, Oui-Oui se pare d'un manteau rouge et vert, et une belle plume lui pousse au bonnet. Le pantin est ravi. Il est tellement coquet !

« Comme assistant, tu seras parfait ! » s'écrie Marco.

« Grimper cinq cents marches pour arriver jusqu'au palais ?
Mon taxi n'y arrivera jamais ! » soupire Oui-Oui…

Ne jamais dire jamais à un magicien, c'est bien connu !

« Bracadi ! Bracada ! » Le tour est joué : la petite voiture jaune
se retrouve équipée de quatre pieds !

Oui-Oui ne s'est jamais aussi bien amusé et son grelot n'a
jamais tant tinté !

Le roi Ho-Ho n'a pas confiance en certains conseillers.

« Avec mon miroir magique, vous serez fixé ! assure Marco. Il montre les gens tels qu'ils sont ! »

Messire Lefourbe est le premier courtisan à montrer qui il est. Un renard faux et rusé : tel est son portrait !

« Gardes ! Jetez-le en prison ! » ordonne le roi.

Messire Faux-Jeton n'est guère mieux servi. Un serpent dangereux et cruel, prêt à frapper et à mordre : voilà donc qui il est et le miroir ne ment jamais. Pareil conseiller n'a rien à faire dans le palais !

« Gardes ! Jetez ce vilain au cachot ! » ordonne le roi Ho-Ho. Débarrassé de ses ennemis, le roi peut enfin gouverner…

« Dis-moi le prix de ton miroir et je te l'achète ! ordonne le roi.

— Hélas !, mon miroir n'est pas à vendre, répond Marco.
Mais si vous étiez plus sage, vous seriez mieux entouré et mon
miroir ne vous servirait plus à rien ! »

Vexé par les paroles du magicien, le roi Ho-Ho prend le miroir
en main pour y contempler son image. Il croyait voir un lion
et il découvre… un âne. Quelle déception !

Furieux, le roi Ho-Ho veut jeter Marco et Oui-Oui en prison. Heureusement, le pantin et le magicien sont déjà dans le taxi. Vroum ! Vroum !

Ils vont si vite pour redescendre que Oui-Oui perd son manteau, sa plume, et que le miroir s'est brisé !

« Tant pis, pense Oui-Oui… La magie, c'est très amusant, mais rien ne vaut ma maison-pour-moi-tout-seul, et mes amis ! »

Bonne nuit

Dimanche

Oui-Oui

perd tout

« Diling ! Diling ! Diling ! »

Ce matin-là, Oui-Oui est allé rendre visite à son ami Potiron. Le nain est de très bonne humeur.

« J'ai passé une nuit excellente, dit-il, et ce beau soleil rend mon coeur tout joyeux ! »

Potiron est d'ailleurs si heureux qu'il insiste beaucoup pour faire tinter le grelot de Oui-Oui.

En rentrant de chez le nain, Oui-Oui ne résiste pas à la tentation de prendre un bon bain. L'eau de l'étang est si bleue ! Vite, le gentil pantin se déshabille, plie soigneusement ses petites affaires, et plouf !, le voilà trempé.

Il fait si chaud qu'une fois sorti de l'eau, Oui-Oui décide de faire la sieste.

« Je m'habillerai plus tard ! » se dit-il.

Puis il s'allonge et il s'endort.

Hélas ! pour Oui-Oui, un peu plus tard, Lapinou passe par là. Il voit tous les habits, mais ne voit pas Oui-Oui.

« Quelle idée d'abandonner de beaux habits comme ça ! » songe le petit lapin.

Et, fou de joie, il les enfile. Comme Lapinou n'a pas l'habitude de s'habiller, ça lui prend un certain temps. Mais il n'est pas mécontent du résultat, loin de là !

En s'éveillant, Oui-Oui cherche partout ses habits. Hélas! ils ont bel et bien disparu.

« Que fais-tu donc tout nu ? » s'écrie Potiron en voyant revenir son ami.

Alors, Oui-Oui raconte à Potiron son aventure.

« Allons dans la forêt et klaxonnons ! propose le nain. Peut-être quelqu'un pourra-t-il nous informer sur cette disparition… »

C'est donc ce qu'ils font. Et, les yeux ouverts tout ronds, ils voient arriver Lapinou.
Et Oui-Oui tout content récupère ses habits.

Un peu plus tard, une nouvelle surprise attend Oui-Oui. Il manque une roue à son auto ! Le pauvre pantin est consterné.

« N'auriez-vous pas vu un voleur de roue ? demande Oui-Oui à Mme Bouboule.

— Je n'ai vu personne, répond sa voisine. Mais va donc faire un tour à Guignolville. Tu sais combien les guignols sont farceurs… »

En chemin, Oui-Oui aperçoit M. Paille, le fermier, qui pousse une brouette équipée d'une superbe roue jaune. Furieux, Oui-Oui fonce droit dessus.

« Que faites-vous avec la roue de mon taxi ? » s'écrie le pantin.

Oui-Oui est tellement en colère qu'il s'empare de la brouette et file essayer la roue à son auto. Très gêné, Oui-Oui constate son erreur : la roue de M. Paille est beaucoup trop petite !

Un peu plus loin, Oui-Oui découvre un clown perché sur une roue.

« C'est ma roue ! » recommence le pantin très fâché.

Et hop ! Il jette le clown par terre et essaie vaille que vaille de rouler sur le drôle d'engin. Arrivé chez lui, Oui-Oui n'est pas plus avancé. Cette fois, la roue qu'il a trouvée est beaucoup trop grande…

Désespéré, Oui-Oui voit alors venir Popaul, le guignol, poussant une roue devant lui.

« C'est le voleur ! » pense Oui-Oui qui s'écrie aussitôt :

« Comment as-tu osé me voler ? »

Mais Popaul n'a rien volé du tout. Le taxi avait un pneu crevé, il a voulu le réparer. Pour s'excuser, Oui-Oui raccompagne le guignol chez lui. En taxi !

Pauvre Oui-Oui ! Après ses habits et la roue de son taxi, espérons qu'il ne perdra plus rien pour aujourd'hui !

Bonne nuit